Do Sheán agus Una Mairéad, le grá – Bridget

Do Kirsty - Donough

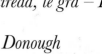

Foilsithe den chéad uair ag Futa Fata, An Spidéal, Co. na Gaillimhe, Éire

An chéad chló © 2012 Futa Fata

An téacs © 2012 Bridget Bhreathnach

Maisiú © 2012 Donough O'Malley

Tá Futa Fata buíoch d'Fhoras na Gaeilge faoin tacaíocht airgid.
Faigheann Futa Fata tacaíocht ón gComhairle Ealaíon dá chlár foilsitheoireachta do pháistí.

the arts council an chomhairle ealaíon | cistiú litríocht artscouncil.ie | Foras na Gaeilge

ISBN: 978-1-906907-51-8

Ní mise a rinne é!

Scríofa ag Bridget Bhreathnach

Maisithe ag Donough O'Malley

Bhíodh Séimí i gcónaí ag spraoi. Nuair a bhí sé leis féin,
ba bhreá leis cairde nua a chumadh agus cluiche a imirt leo.

Ach má bhí timpiste ag Séimí, ní air féin a bhí an locht. 'Ní mise a rinne é!' a deireadh sé.

Lá amháin, bhí sé ag ligean air féin go raibh
sé ina mháistir ar an sorcas. 'Anois, a róin,' a dúirt sé,
'caith chugam an liathróid!'

Suas, suas leis an liathróid
agus isteach tríd an bhfuinneog!
Ansin, chuala sé glór Mhamaí.

'Ní mise a rinne é!' arsa Séimí,
'is ar an rón atá an locht!'
Rón muis,' arsa Mamaí. 'Nach bhfuil
mo dhóthain le déanamh agam!
Agus Mamó ag teacht ar cuairt amárach!'

Ar ball, rinne Séimí carn mór bréagán sa seomra suite. 'Anois, a mhoncaí,' a dúirt sé, 'suas leat go barr an tsléibhe.' Suas, suas leis an moncaí. Anuas, anuas leis na bréagáin! Ansin, glór Mhamaí...

'A Shéimí!'

'Ní mise a rinne é!' arsa Séimí, 'is ar an moncaí atá an locht!'

'Moncaí muis,' arsa Mamaí, 'tá an áit trína chéile agat!
Agus Mamó ag teacht ar cuairt amárach!'

Ar ball arís, chonaic Séimí na cácaí
 beaga a bhí déanta ag Mamaí.
'Anois, a fhir ghrinn,' a dúirt sé,
'cuir na cácaí seo ag eitilt!'
Ach ansin...

'A Shéimí!'

'Ní mise a rinne é!' arsa Séimí,
'is ar an bhfear grinn atá an locht!'

'Fear grinn muis,' arsa Mamaí.
'Suas leat a chodladh anois agus
ná cloisim a thuilleadh scéalta
móra uait.'

Suas chuig a sheomra le Séimí.
'Scéalta móra muis,' a dúirt sé leis féin.
'Ní ormsa atá an locht !'

I lár na hoíche sin, nuair a bhí gach duine ina chodladh,
isteach sa teach le trí cinn d'eilifintí beaga.

Ar maidin, dhúisigh Séimí de gheit –
bhí na heilifintí beaga ag léim ar a leaba!
Bhí gleo an diabhail acu. Ansin...

'A Shéimí!'

'Ach a Mhamaí, ní mise a rinne é!' arsa Séimí.
'Is ar na trí eilifintí beaga atá an locht!'

'Eilifintí, muis!' arsa Mamaí. 'Glan suas an áit seo – anois díreach!'

Ghlan Séimí a sheomra ó bhun go barr.
'Anois,' arsa Mamaí 'tá do chuid bréagán caite ar fud na háite.
'Pioc suas iad sula dtagann Mamó.'

Ach bhí na heilifintí ag iarraidh spraoi.
'Stopaigí!' a bhéic Séimí. 'Anois díreach!'
Suas leis an liathróid, suas, suas.
Ansin...

'A Shéimí!'

'Ach a Mhamaí, ní mise a rinne é!'
arsa Séimí. 'Is ar na heilifintí beaga
dána sin atá an locht!'

'Eilifintí muis!' arsa Mamaí.
'Féach ortsa! Tá tú lofa salach!
Suas leat isteach san fholcadán.
Beidh Mamó anseo nóiméad ar bith!'

Ach bhí na heilifintí fós ag iarraidh spraoi.
'Stopaigí!' a bhéic Séimí.
'Anois díreach, a deirim!
Más é bhur dtoil é!'
Ansin...

'A Shéimí!'

'Is iad na heilifintí beaga bhí ag slabáil san uisce
a Mhamaí' arsa Séimí, 'ní mise!'

'Tú féin agus do chuid eilifintí!' arsa Mamaí.
'Nach bhfuil a fhios agat cé atá ag teacht inniu?'
Ansin...

Ding
Dang!

'Mamó!'

a bhéic Mamaí.

'Mamaí eilifint?' arsa Mamaí.
'Trí cinn d'eilifintí beaga?'

'Dúirt mé leat é,' arsa Séimí, 'dúirt mé leat!'

'Agus an rón chomh maith?' arsa Mamaí.
'Agus an moncaí? Agus an fear grinn?'

'Bhuel…' arsa Séimí.
'Bhuel?' arsa Mamaí.

An lá dar gcionn, nuair a bhí Mamaí agus Mamó ag ól tae sa ghairdín,
bhí timpiste eile ag Séimí. Stop sé. Bhreathnaigh sé ar Mhamaí.

'A Shéimí?' arsa Mamaí.

'Is mise a rinne é,' arsa Seímí.
'Is ormsa atá an locht.'

Rinne Mamaí gáire. Rinne Mamó gáire.
Rinne Séimí é féin gáire.

Agus d'fhan an gáire sin
ar a bhéal ar feadh an lae agus
ar feadh na hoíche go léir.